Billy Stuart
La course des centaures

Zintrépides

billystuart.com

Catalogage avant publication de Bibliothèque et Archives nationales du Québec et Bibliothèque et Archives Canada

Bergeron, Alain M.

La course des centaures

(Billy Stuart ; livre 7)
Pour enfants de 8 ans et plus.

ISBN 978-2-89435-683-8

I. Sampar. I. Titre. II. Collection : Bergeron, Alain M.   Billy Stuart ; livre 7.

PS8553.E674C68 2014   jC843'.54   C2013-942066-5
PS9553.E674C68 2014

Éditrice : Colette Dufresne
Graphisme : Marie-Ève Boisvert, Éditions Michel Quintin

La publication de cet ouvrage a été réalisée grâce au soutien financier du Conseil des Arts du Canada et de la SODEC. De plus, les Éditions Michel Quintin reconnaissent l'aide financière du gouvernement du Canada par l'entremise du Fonds du livre du Canada pour leurs activités d'édition.

Gouvernement du Québec – Programme de crédit d'impôt pour l'édition de livres – Gestion SODEC

ISBN 978-2-89435-683-8

Dépôt légal – Bibliothèque et Archives nationales du Québec, 2014
Dépôt légal – Bibliothèque et Archives Canada, 2014

© Copyright 2014

Éditions Michel Quintin
4770, rue Foster, Waterloo (Québec)
Canada J0E 2N0
Tél. :   450 539-3774
Téléc. : 450 539-4905
editionsmichelquintin.ca

1 7 - L E O - 2

Imprimé en Chine

Billy Stuart
La course des centaures

Zintrépides

Livre 7

Texte : Alain M. Bergeron
Illustrations : Sampar

ÉDITIONS
MICHEL
QUINTIN

Billy Stuart

Foxy

Les **Zintrépides**

Yéti

Galopin

Muskie

FrouFrou

AVERTISSEMENT

Billy Stuart n'est pas l'Élu avec un grand É. Il ne chevauche pas un ours polaire. Il ne porte pas d'anneau à son doigt ni à son oreille. Dans ses tiroirs, il ne cache pas de collections de masques ou de pierres. Il n'a pas de daemon qui marche à ses côtés depuis sa naissance. Son front n'est pas zébré d'une cicatrice.

Bref, le sort du monde ne repose pas sur ses frêles épaules.

Billy Stuart n'est qu'un jeune raton laveur ordinaire à qui sont arrivées des aventures extraordinaires.

Voici la septième histoire qu'il m'a racontée.

Alain M. Bergeron

Un 3 janvier dans la ville de Cavendish

MOT DE L'AUTEUR

Cher lecteur, je me présente : Je suis Alain M. Bergeron, l'auteur à qui Billy Stuart a raconté ses nombreuses aventures.

Ma présence dans ce livre se fait par l'intermédiaire du « Mot de l'auteur ». Tu repéreras facilement ces interventions grâce à l'encadré qui ressemble à une note collée dans la page.

MESSAGE DE BILLY STUART

Depuis le début de nos Zaventures, nous, les Zintrépides, avons rencontré notre lot de créatures fantastiques.

Il y a eu le Minotaure, ce monstre à la tête de taureau, au front de bœuf et au corps d'homme. Notre route a aussi croisé celle du Migou, cet homme des neiges, mélange d'humain et de hamster géant. Puis dame Nature, qui ne manque pas d'imagination, s'est dit qu'un homme et un cheval pourraient très bien faire la paire. Elle nous a donc envoyé des centaures.

Qu'est-ce qu'elle va encore imaginer, celle-là?

Par chance, il y a des êtres normaux, comme nous, les Zintrépides.

À propos, je ne considère pas le chien FrouFrou, ce sale cabot, comme une créature normale.

Un piège mortel

— Ça parle, un cheval? demande Yéti, la belette, avec une pointe d'étonnement dans la voix.

Je peux comprendre la réaction de Yéti. Après tout, ce n'est pas tous les jours que l'on entend parler un cheval. Normalement, ça hennit. Je me souviens de ma surprise quand, à l'âge de Billy Stuart, j'avais vu un mulet entretenir une conversation avec un soldat. L'animal avait pour nom Francis et il était la vedette d'un film, *Francis, the talking mule* (1950). Le mulet parlant a joué dans sept films. Francis était le nom de son personnage. Le vrai nom du mulet comedien était Molly, comme mon chien. Étrange coïncidence, non?

— Ce n'est pas un cheval, Yéti, lui dis-je. Pas plus que ça n'est mon chien!

«Ça», c'est ce sale FrouFrou, le caniche qui ne cesse d'aboyer depuis que nous avons aperçu cette créature, immobile au milieu de la rivière.

— Franchement, Billy Stuart! se vexe la renarde. Quel est le rapport?

Je hausse les épaules.

— Aucun, Foxy. Ça me fait juste du bien de vous le remémorer...

La créature fabuleuse qui a maintenant de l'eau jusqu'aux genoux est un centaure: mi-homme, mi-cheval.

Immédiatement, la belette s'arrête et serre les poings.

— Qu'il y vienne! Non, mais qu'il y vienne, le canasson!

Yéti veut s'élancer dans la rivière pour s'en prendre au centaure, qui est CENT fois plus gros que lui. Habituée à ses emportements belliqueux et jamais réfléchis, Muskie l'attrape par le collet.

Ce cours d'eau, un peu plus large que la rue **Rouge écossais**, à Cavendish, semble peu profond. Ce qui ne signifie pas qu'il est inoffensif. Méfions-nous des eaux qui dorment…

D'ailleurs, le centaure au pelage **NOIR** nous a mis en garde dès notre arrivée dans ce nouveau monde. Et il le répète pour être certain que nous l'ayons bien compris :

— **N'APPROCHEZ PAS !** C'est un piège mortel !

Il tend un bras vers nous, la paume de sa main relevée, tel un panneau ARRÊT. Le ton impératif qu'il emploie me suggère qu'il est habitué à donner des ordres. C'est peut-être un prince, un roi, le général d'une armée de centaures ou de brigands, ou d'une troupe de **SCOUTS** comme moi...

S'il y a menace, elle est invisible pour le moment. Le niveau de l'eau ne semble pas assez haut pour que s'y dissimulent des CROCODILES ou un banc de piranhas voraces, amateur de chair hippique.

Si je recevais une PIÈCE d'OR chaque fois que je dois corriger cette erreur, je serais le raton laveur le plus riche de l'Antiquité.

Le centaure lève ses puissants bras au **ciel** – c'est qu'il est musclé du torse, l'homme-cheval ! –, comme s'il réclamait la clémence des dieux.

— Je suis prisonnier de **SABLES** mouvants. Je vais mourir noyé d'ici peu. Et si vous approchez pour me secourir, vous subirez le même sort !

CHAPITRE 2

Cimetière à ciel ouvert

L'annonce du centaure Kiron nous rend plutôt perplexes. D'accord qu'il puisse être coincé dans des sables mouvants, au **cœur** d'une rivière. Mais qu'il craigne de mourir noyé malgré le niveau peu élevé de l'eau, ça m'apparaît exagéré.

— Vous n'êtes pas capable de vous sortir de là tout seul ? demande encore Foxy.

En dépit de son **physique costaud**, il demeure figé dans sa position. Il hausse de larges épaules en signe d'impatience.

— C'est inutile. Mes sabots sont dans une **prison** d'argile. Il m'est impossible de bouger. Si je remue trop, je m'enlise davantage…

Je me tourne vers Yéti.

TROP TARD ! Je regrettais déjà mes paroles. Ce n'était vraiment pas un bon choix de mots. Galopin, le caméléon, accourt à mon aide.

CE QUE BILLY STUART VEUT DIRE, MUSKIE, C'EST QU'EN SAUTANT DANS L'EAU, TU FERAS MONTER LE NIVEAU DE LA RIVIÈRE...

EST-CE QUE TU INSINUES, BILLY STUART, QUE JE COULERAIS À PIC ? ALORS QUE L'AUTRE LÀ-BAS NE S'ENFONCE PAS PLUS QUE ÇA ?

AH ! MUSKIE A UN ARGUMENT DE POIDS.

N'EN RAJOUTE PAS, LE CAMÉLÉON !

Désireux de faire diversion, je m'empare de **FrouFrou** et je marche un peu dans l'eau. Mais le chien, content de mon initiative, me lèche le visage. **BEURK!**

Elle m'arrache le caniche des bras. FrouFrou la remercie de plusieurs coups de langue dans la figure. **RE-BEURK!** Les deux regagnent la berge, les pieds au sec.

— Écoutez! dis-je à mes compagnons. On ne peut rester là, les bras croisés à attendre!

Ils décroisent aussitôt les bras pour déposer leurs mains sur leurs hanches. Muskie, elle, boude et me tourne le dos.

— Très drôle, troupe! LAISSEZ FAIRE!

Sourd aux protestations du centaure, je retiens mon souffle et je nage pour me diriger prudemment vers lui. L'eau de la rivière est assez claire pour en voir le lit. Je n'ai qu'à plonger et à étirer les bras pour tâter le fond. Et si quelques écrevisses s'y cachaient? Miam! Miam! J'ai faim! Ce serait joindre l'utile à l'agréable.

Hélas, il y a peu ou pas de pierres sous lesquelles une écrevisse pourrait se dissimuler. Que du sable fin pour le moment. Il n'y a pas de danger de s'y enfoncer.

Comme je m'approche du milieu de la rivière, je constate le changement: c'est maintenant de l'argile. Les SABLES mouvants commencent ici. Tiens… qu'est-ce que c'est? Une roche bombée?

Je saisis l'objet… Noonnn ! C'est un crâne ! Je le lâche immédiatement. Le crâne retourne au fond de la rivière, mais la face tournée vers moi, comme s'il m'observait. Et il

y a plus : des **O5** de toutes sortes, des tibias, des fémurs…
des sabots ! On se croirait dans un cimetière à ciel ouvert…

J'aperçois les quatre pattes du centaure, engluées
jusqu'aux sabots, dans l'argile. Prenant garde de ne pas
poser les pieds sur la surface en argile, je tire sur l'une de ses
pattes pour le libérer. Oh ! Hisse ! Rien ne se produit.
J'essaie avec les autres, mais mes efforts restent inutiles.

Je remonte à l'air libre avec l'impression d'un double
échec. Le premier, celui de ne pas avoir réussi à extirper
le centaure de son **PIÈGE D'ARGILE**, le second, de ne pas
avoir vu d'écrevisse.

Je m'avoue vaincu au centaure qui me gratifie d'un
sourire triste pour me remercier. On dirait un sourire de
condamné. Quel âge a-t-il ? Début trentaine, peut-être ? Il
a une **barbichette** au menton.

Je ne m'éloigne pas pour autant. Je m'assure de mettre
les pieds sur le fond de sable fin. Une question me tour-
mente depuis tout à l'heure.

— Pourquoi avez-vous peur de mourir noyé? Le niveau de l'eau est trop bas pour ça! Et tous ces  dans la rivière... Qu'est-ce qui s'est passé ici?

Soudain, un **grondement** distant parvient à mes oreilles. Mes compagnons, toujours sur la berge, l'ont entendu. Ils escaladent les bords de la rive pour avoir un meilleur point de vue. Qu'est-ce que ça peut bien être? Surtout que ça semble se rapprocher assez *RAPIDEMENT*.

C'EST LE MASCARET...

La rivière des condamnés

Il n'y a rien de pire que de savoir qu'une menace est imminente et de n'avoir aucune idée de ce qui vous pend au bout du museau. **UN MASCARET ?** Qu'est-ce que ça mange en hiver, ça ? On dirait une mascarade… C'est quoi ? Un monstre affublé d'un masque, qui parade à l'**HALLOWEEN** et qui dévore les centaures comme moi les écrevisses en chocolat ?

Le mascaret est une vague spectaculaire, à contre-courant d'un fleuve, et qui cause une montée subite des eaux, comparable à une marée.

Avec ses mains en porte-voix, Foxy, qui était attentive dans les cours de géographie naturelle, me résume le phénomène. Conclusion : *Il me faut déguerpir !* Ce que me confirme le centaure.

— Éloignez-vous, Billy Stuart, retournez sur la berge pendant qu'il en est encore temps… Allez vous occuper de votre chien…

— Ce n'est pas **MON** chien !

Avec tous ces os répandus dans la rivière, je comprends que son sort est scellé. Il n'est pas le premier de sa race à subir un tel châtiment. Il doit lire dans mes pensées, car il déclare :

— C'est la rivière des **condamnés**. C'est ici que sont exécutés les ennemis du royaume de la Vallée des Centaures.

Le grondement est de plus en plus audible. Il y a urgence. Vite ! Une solution pour sortir Kiron de là.

Rien. Le **NÉANT** total. Je me croirais à l'intérieur de la tête de ce sale FrouFrou. Peu importe ce que cette créature fantastique ait pu faire, elle ne mérite pas pareille mort.

— *Reviens, Billy Stuart !* m'implore Foxy.

En désespoir de cause, je replonge pour tirer sur les pattes de Kiron une dernière fois de toutes mes forces. Oui !

Je pense que j'ai réussi à faire bouger une patte. Déterminé à ne pas *lâcher prise*, je pose les deux pieds sur le lit de la rivière pour obtenir un meilleur appui.

Dès que je touche le fond, je réalise mon **ERREUR**. Mes pieds s'enfoncent à leur tour dans l'argile. Ça parle aux millions d'écrevisses de la rivière Bulstrode. Je suis prisonnier, MOI AUSSI ! J'ai de l'eau jusqu'au cou !

LÀ-BAS !

La mouffette montre du doigt le coude à angle droit du cours d'eau à un peu plus de deux cents mètres d'où nous sommes. Une vague **RUGISSANTE** en émerge et fonce sur nous, à contre-courant de la rivière. Le centaure Kiron l'a aperçue.

Les Zintrépides atteignent la rive encore à sec, mais pas pour longtemps. Ils veulent voler à mon **SECOURS**. Je m'écrie d'un ton catégorique :

— *NON ! ATTENDEZ !* J'ai une autre idée pour m'en sortir.

En fait, je n'ai aucun moyen de me sauver de ce piège. C'est seulement que je ne souhaite pas que mes compagnons se retrouvent dans la même situation que moi.

À quelle vitesse s'amène le mascaret? Difficile à déterminer de ma position. Trop rapidement à mon goût, ça, c'est sûr.

On a établi que, dans certains cas, le mascaret filait à la vitesse d'un homme qui marche.

Les Zintrépides assistent à la scène, impuissants. Le centaure et moi serons submergés **D'ICI PEU**. Kiron porte deux doigts à sa bouche et émet un sifflement qui m'écorche les oreilles.

FOuuuuuuuuuuuuuuuiTTT !

Dépêchez-vous!

— Un coup de main? dit un centaure très costaud, derrière les Zintrépides.

— Pourvu que ce ne soit pas un coup de pied! *rigole* Galopin. On serait quatre fois servis.

Yéti grimpe sur la tête de Muskie, la mouffette, sans lui demander la permission. Il interpelle les centaures qui sont sur la RIVE **OPPOSÉE**.

— Qu'ils y viennent! Non, mais qu'ils y viennent, les mustangs!

— Soyez poli, espèce de *rat allongé*, l'avise le centaure costaud, près de lui.

— Chacun son tour! riposte la belette.

— Ne nous oubliez pas! s'écrie Kiron. La vague du mascaret approche!

Le **grondement** appuie l'alerte.

— D'accord, abdique Yéti. Quant à toi, le format géant, tu ne perds rien pour attendre.

Le centaure costaud **glousse** devant la menace.

Comment vont-ils parvenir à nous sortir d'ici à temps ? Ils ne pensent tout de même pas sauter à l'eau ! Ce serait suicidaire et inutile.

Un des centaures, sur la rive opposée à celle des Zintrépides, brandit une longue *corde*. Puis, avec précision, il la lance pour attraper la cime d'un très haut pin, situé près de la rivière.

Avec force, il jette l'autre extrémité de la corde au centaure costaud, celui qui est avec mes compagnons sur la rive d'en face. Je ne comprends toujours pas leurs intentions.

— **À toi de jouer, Sinis !** hurle Kiron pour l'encourager.

Le centaure costaud agrippe la corde. Il entreprend de courber le pin au-dessus de la rivière. Veut-il le déraciner ? En faire un pont de fortune pour venir nous chercher ?

Les muscles tendus, grognant sous l'effort, Sinis continue d'entraîner le pin vers l'eau.

— Dès qu'il est à notre portée, il faut le saisir, Billy Stuart, m'avertit Kiron. Nous n'aurons qu'une seule chance. Prêt?

Je fais signe que oui. La peur m'assèche la bouche, ce qui est très ironique, puisque dans quelques secondes à peine, je vais mourir noyé si le plan ne fonctionne pas.

Le mascaret a maintenant dépassé le coude de la rivière. L'eau se rue vers nous; les berges seront complètement inondées d'ici quelques minutes. Ce n'est pas qu'une simple vague qui s'avance en notre direction: c'est un mur!

Je devine enfin comment s'effectuera le sauvetage. J'étends les bras au-dessus de ma tête tandis que le faîte de l'arbre s'approche de nous.

On dirait que le mascaret a augmenté sa vitesse! Comme s'il ne voulait pas perdre ses proies. L'onde se précipite vers nous.

Ça y est… Presque…

De son côté, Sinis redouble d'efforts pour que la courbure de l'arbre soit parfaite. Sur la terre, ses sabots dérapent et il lâche la corde une fraction de seconde. Assez pour éloigner le pin de nos bras tendus.

— *Hâtez-vous, Sinis !* l'implore Foxy.

— Je vais l'aider, moi ! dit la belette.

Yéti s'installe derrière le centaure costaud et saisit la corde pendante pour tirer lui aussi.

Enfin ! La tête du pin est à notre portée.

— Accrochez-vous, Billy Stuart ! hurle Kiron pour couvrir le grondement proche du mascaret.

Kiron l'attrape en premier et la plie encore plus à mon intention.

— *JE LÂCHE !* avertit Sinis.

Aussitôt, l'arbre se redresse avec force pour retrouver sa position naturelle.

— *AAAAAAH !*

Du coup, il nous arrache de notre prison d'argile tout en produisant un bruit écœurant de succion.

Le pin nous soulève brutalement dans les airs, à l'image de la main d'un géant qui nous **catapulterait** loin de la menace. Au moment où la vague roule sous nos pieds.

En se relevant, le pin tangue **DANGEREUSEMENT**. Au point où je perds mon emprise et mon équilibre. Je me sens tomber dans le vide vers la rivière, avant d'être saisi de justesse par la main libre de Kiron.

Un cri provient du ciel :

— *YAAAAAAAAAAAAH !*

Je lève la tête et j'aperçois Yéti, qui file au-dessus du pin, toujours suspendu à la corde…

DES MAINS ET DES POUCES

Billy Stuart est étonné d'apprendre de la bouche de Foxy qu'on mesure généralement la hauteur d'un cheval (ou d'un Centaure, pourquoi pas !) en mains. Chaque main compte quatre pouces.

Pour être certaine que Billy a bien compris l'explication, Foxy lui expose le problème suivant :

Si le cheval A mesure 15 mains.
Le cheval B, 15 mains et 1 pouce (15.1 mains).
Le cheval C, 15 mains et 2 pouces (15.2 mains).

Combien mesure le cheval E ?

Solution à la page 156

CHAPITRE 5

Un message de Virgile

AAAAAAAAAARGH!

J'ai les pieds en compote d'écrevisses au chocolat. Je me nettoie entre les orteils pour retirer les restes d'argile. Si j'avais eu des bas, je suis convaincu qu'ils reposeraient dans mes souliers au fond de la rivière. Mais, j'y pense, je ne porte même pas de souliers!

SATANÉ MASCARET! J'ai failli boire la grande tasse, moi!

Est-il utile de traduire cette dernière expression de Billy Stuart? Pas vraiment, par contre, le mascaret, aussi satané soit-il, demeure un phénomène naturel spectaculaire. En d'autres temps, Billy Stuart aurait été le premier à le reconnaître. Si vous cherchez sur le Web, vous découvrirez des séquences vidéo saisissantes de mascarets dans le monde. Une précision: ne pas confondre mascaret et mascara.

À l'abri des **REGARDS INDISCRETS**, caché derrière un buisson, j'ai retiré mes vêtements mouillés pour les faire sécher sur une pierre au soleil. Les chauds rayons font des miracles. Je peux me rhabiller rapidement.

La curiosité m'incite à vérifier dans quel état se trouve

le carnet de mon grand-père après ce séjour prolongé dans l'eau.

OH! Il a pris de l'épaisseur! Les pages sont toutes gondolées. J'y jette un coup d'œil. Ouf! Les écrits de Virgile n'ont pas été effacés ou délavés.

Mais… mais… quelle surprise! Des notes de mon grand-père sont apparues sur une nouvelle page. L'effet de l'eau douce? Probablement. Fébrile, je les lis à voix haute:

— «Plus d'une fois, tu devras te reprendre, Billy Stuart, pour continuer ta route. Persévère et fais les bons choix!»

— Tu parles tout seul, Billy Stuart? me dit Muskie, accompagnée des autres membres des Zintrépides.

— Qu'as-tu trouvé? demande Galopin.

Je leur montre ma découverte, mais leur conseille le *silence*.

Nous rejoignons les centaures, dont le héros Sinis, au pied du pin. Ils ont tous franchi la rivière plus haut, en empruntant un pont fait de TRONCS ébranchés.

Yéti arrive le dernier pour participer aux retrouvailles. Il interpelle le centaure costaud.

— **HEP!** Le plieur de pins! En voilà des manières de me remercier de t'avoir aidé. Tu aurais pu me prévenir que tu allais lâcher prise!

— Vous nous avez sauvé tous les deux, Yéti, dis-je pour le calmer et pour éviter toute confrontation potentielle.

La belette bougonne, les bras croisés sur la poitrine.

— C'est sûr que c'est plus facile avec deux bras et quatre pattes...

Ouaf! Ouaf! Ouaf!

Le chien FrouFrou bondit près de moi et jappe joyeusement. Il s'arrête et s'ébroue. Je suis encore mouillé!

— Il a décidé de faire trempette et de traverser à la nage, Billy Stuart, n'est-ce pas mon beau *chéri d'amour* que je t'aime? raconte Foxy.

— La nage du petit chien, ajoute Galopin sans rire.

Dans ma tête, je vois Sinis plier le **PIN** et FrouFrou
s'amener pour flairer la cime de l'arbre. Le centaure relâche
le pin et le caniche s'envole. Finalement, ça me rend de
bonne humeur.

Chaque CLAN présente ses membres à l'autre. Du côté des centaures, il y en a trop pour que je me rappelle tous les noms. C'est compliqué, et ce qui n'arrange rien, c'est qu'on les croirait tous sortis du même *moule*, à l'exception de Sinis, plus costaud.

Cependant, je prétends que Kiron est le chef, car les centaures lui vouent le plus grand des respects.

— Il est heureux parmi son troupeau, chuchote Galopin.

Question : Quand un centaure est content, est-ce que sa queue bouge comme celle d'un chien ?

Réponse : Non, vous ne regardez pas au bon endroit. Si un centaure est content, il sourit !

— Ne nous attardons pas, suggère Kiron. Certains seraient tentés de vérifier sur place les résultats du supplice…

Il ne prend pas la peine de préciser de qui il s'agit. Ses BOURREAUX ? Ses juges ?

Bien que certains des centaures nous examinent d'un œil suspect, Kiron nous propose de nous joindre à eux.

— Un village se dresse à moins de 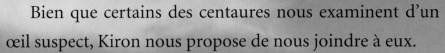 de marche d'ici. Nous y serons plus en sécurité. Nous pourrons aussi y manger.

Notre groupe se met en branle. Rapidement, un **INCIDENT** aux allures diplomatiques entraîne des remous au sein de la bande. Yéti et le colosse Sinis s'engueulent vertement. La belette est assise sur le sol dans un **NUAGE** de poussière. Se cabrant, le centaure semble prêt à l'écraser.

NE RECOMMENCE PLUS JAMAIS ÇA, LE RAT ALLONGÉ !

QU'IL Y VIENNE ! NON, MAIS QU'IL Y VIENNE, LE SINUS !

JE VAIS EN FAIRE UN RAGOÛT DE SABOTS, MOI !

OU UN BON STEAK DE CHEVAL !

Je croyais à une blague. Le **costaud** Sinis, *courbeur* de pins, ennuyé par la présence d'une toute petite belette sur son dos? Toutefois, pour lui, pour Kiron et pour les autres centaures, ça n'a rien de drôle. Je le comprends immédiatement à leur mine SOMBRE et fermée.

L'air grave, Kiron nous entraîne à l'écart.

— Nous ne sommes pas des chevaux…

— La tension a monté d'un crin, les gars, constate le caméléon.

Kiron ignore sa remarque.

— Pour un centaure, porter quelqu'un sur son dos est un signe de **SOUMISSION** et c'est très humiliant. Je vous prierais d'en tenir compte.

Il va rejoindre les siens. Yéti ne trouve rien à ajouter. Il saute sur le dos de **FrouFrou**.

ÇA NE DEVRAIT PAS DÉRANGER TON CHIEN, BILLY STUART !

La méfiance

Depuis un temps indéterminé, nous marchons dans une FORÊT touffue, à la suite des centaures qui nous ouvrent le chemin.

— Ils devraient cesser d'aller au petit trot, se plaint Galopin.

En effet, il est difficile de suivre leur rythme.

Bientôt, nous débouchons dans une clairière. D'un commun accord, nous en profitons pour exiger une PAUSE.

— Vous n'avez pas de résistance, les bipèdes ! se moque le costaud Sinis dans un *éclat de rire* qui s'apparente à un hennissement.

La belette réagit au quart de tour.

— Bipède ? *Bipède !* Qu'il y vienne ! Non, mais qu'il y vienne, le Sagittaire !

Précisons ici que le Sagittaire est un signe du zodiaque. Il est le plus souvent représenté par... un centaure.

DU CALME, YÉTI !

IL... IL M'A TRAITÉ DE BIPÈDE !

EH, BILLY STUART, ÇA VEUT DIRE QUOI, BIPÈDE ?

Déjà, Sinis ne s'en préoccupe plus. Il tient un conciliabule avec Kiron et les autres centaures.

Conciliabule n'est pas une insulte. Il s'agit d'un mot qui signifie réunion secrète. Et ça se glisse bien dans un roman d'aventures.

Kiron s'amène tandis que les centaures demeurent à l'écart.

— Nous approchons du **VILLAGE**. Il est préférable de rester groupés. La présence des gardes de ce traître d'Hélios a été **signalée** dans les parages…

Si j'ai compris les explications de Kiron, Hélios est le centaure qui lui a volé la couronne et qui est désormais à la tête du royaume.

J'ai demandé à Billy Stuart quel était le nom de ce royaume. Il m'a raconté qu'il était imprononçable, qu'il fallait la dentition garnie d'un centaure pour réussir à le dire correctement. Et qu'il y avait un nombre invraisemblable de trémas sur les voyelles.

Alors, pour les besoins de l'histoire, nous baptisons l'endroit tout simplement : la Vallée des Centaures.

Donc, Hélios est l'ennemi. C'est lui qui a imposé la **PEINE CAPITALE** à son rival, Kiron, soit le supplice du mascaret. Auquel j'ai également failli succomber !

Par chance pour nous, ses sujets et rebelles au roi Hélios sont intervenus.

Que Kiron veuille prendre des **PRÉCAUTIONS** ⚠ est sage. Je ne souhaite pas tomber dans les pattes d'un tel individu. Le centaure rejoint les siens.

— Il faut y aller…

Je m'adresse aux **Zintrépides** :

— Troupe, on est prêts ?

Nous emboîtons le pas aux centaures qui nous guident

vers le village.

CHAPITRE 7

Les harpies attaquent

Le reste du ***parcours*** se passe sans anicroches. Ou presque. De nouveau, il a fallu séparer Yéti du colosse Sinis, car la belette cherchait continuellement à s'asseoir sur son dos. Une fois, Yéti a poussé l'audace jusqu'à se pendre à ses oreilles et à hurler :

— Hue, Rossinante !

Rossinante est le nom du cheval de Don Quichotte, un drôle de personnage qui s'en prenait à des moulins à vent parce qu'il les confondait avec des géants.

Il a ainsi été convenu que Yéti serait relégué à l'arrière du PELOTON et Sinis à sa tête.

Au bout d'une trentaine de minutes à arpenter un sentier rocheux, nous aboutissons à la lisière de la **FORÊT**, sur une haute colline. Elle permet une vue globale d'un modeste village, situé un kilomètre plus loin, vers lequel nous descendons à l'instant.

On y aperçoit une **NUÉE** de gros corbeaux qui survolent les huttes. Et bien que nous soyons à mi-chemin de notre destination, nous pouvons entendre des cris. Des cris de terreur !

AAAAAAAAAAAAAAAAAAAAAAH !

Ça parle aux millions d'écrevisses de la rivière Bulstrode !

— Les harpies ! tonne Kiron. Les harpies attaquent le village. **TOUS AVEC MOI !**

Les gros corbeaux sont en fait des créatures de cauchemar. Elles poussent des cris stridents qui nous écorchent les oreilles. Yéti est déjà sur un pied de guerre.

— Qu'elles y viennent ! Non, mais qu'elles y viennent, les chipies !

Avec ses petites pattes, la belette ne court pas très vite. Les centaures, eux, *galopent* et atteignent le village en peu de temps.

Les harpies sont des dizaines à survoler le village. Elles effectuent des piqués pour enlever des proies ou en neutraliser d'autres.

Plus on s'approche et moins j'ai envie de continuer. Les harpies sont hideuses avec leur corps et leurs ailes d'oiseau. Elles ont des bras puissants, un visage féminin blanc et grimaçant, et des membres inférieurs musclés, terminés par des serres recourbées.

Lorsque nous arrivons sur la place centrale du village, les monstres ont déjà causé beaucoup de dommages. Des huttes ont été démolies ou **incendiées**.

Kiron, Sinis et les autres rebelles s'emparent d'arcs et de flèches et entreprennent de défendre les villageois. Ils tirent avec précision. Plus d'une harpie est touchée et s'écrase au sol.

L'une d'elles est tombée près de moi. Elle feint d'avoir été atteinte. Sournoise, elle fonce en *bondissant* vers un jeune centaure sans surveillance. Aussitôt, les Zintrépides et moi, nous nous interposons pour lui bloquer la route.

Physiquement, elle est de la taille d'un homme. Tant pis, nous ne la laisserons pas faire. Apeuré, le jeune centaure se blottit derrière nous pour se cacher. Une précaution inutile, car il nous dépasse d'une tête.

La harpie a une *cicatrice* à son œil gauche, comme un X qui barre cette partie de son hideux visage. Ce n'est rien pour améliorer son apparence. Elle ouvre la bouche pour grimacer un horrible sourire. Ses dents sont aussi pointues que des couteaux. Il y a pire…

— **Pouah!** se lamente Muskie. Qu'est-ce qu'elle a mauvaise haleine, celle-là!

Foxy, avec son odorat sensible, a le teint vert, ce qui est plutôt étrange pour une renarde.

Ouaf! Ouaf! Ouaf! Grrrrrrr …

Bon, il fallait bien que ce sale cabot de FrouFrou ait son mot à dire. Son **aboiement** détourne l'attention de la harpie. Le jeune centaure saisit l'occasion et court se réfugier dans une hutte encore intacte. J'ai une idée, je la propose à Foxy :

— On lui remet le chien et on file auprès de Kiron…

— **Franchement, Billy Stuart !** s'offusque-t-elle, sans surprise.

Madame X, la harpie, s'élève dans les airs, les serres tendues, prêtes à s'emparer de l'un d'entre nous. Sur qui s'abattra-t-elle ?

Elle aperçoit quelque chose et pousse un cri strident avant de s'enfuir en battant frénétiquement des ailes. Le costaud Sinis bondit devant nous et bande son arc. Il tire une **flèche** qui touche sa cible : la cuisse de la créature.

Malgré sa blessure, madame X ne ralentit pas ; elle est bientôt hors de portée des armes des centaures. Quelques rescapés parmi les assaillants la rejoignent. Les harpies volent en **FORMATION EN V**.

— Comme d'affreux canards, observe Galopin.

Leurs cris s'éteignent alors qu'elles ne sont plus que des points à l'horizon.

> ELLES VONT REVENIR AVEC DU RENFORT. IL FAUT QUITTER L'ENDROIT. RÉUNISSEZ LES VILLAGEOIS. ILS DOIVENT SE RÉFUGIER DANS LA GROTTE DU KERTAK.

Kiron, Kertak... Je viens de battre mon record d'utilisation de la lettre K dans un récit! Si je pouvais trouver un ours kodiak caché derrière un kaki ou un kapokier, dans la Vallée des Centaures, l'affaire serait... ketchup. J'arrête, je ne suis pas payé en kopeck (monnaie russe).

Tous les Zintrépides sans exception se regardent. Dès qu'il est question d'une **GROTTE** dans nos aventures, nous pensons aux voies de passage, découvertes par mon grand-père, l'explorateur Virgile. Par ces voies, nous voyageons dans le TEMPS et dans l'espace. Ce qui nous a menés ici.

Mon grand-père a-t-il rencontré les centaures rebelles et les harpies au cours de son périple? Venons-nous de retrouver sa trace?

VISION NOCTURNE

Dans les ruines de la cité ancienne, Billy Stuart est

couché sur le dos et regarde les étoiles en compagnie de ses amis, Yéti, Muskie et Galopin.

Soudain, les quatre Zintrépides voient passer dans le ciel une lumière qui clignote.

— Je crois que c'est une comète, dit Yéti.

— Non, réplique Muskie, c'est un satellite.

— Pas du tout, les corrige Galopin, c'est une étoile filante.

Billy Stuart affirme qu'ils sont tous les trois dans le tort et que lui connaît la réponse.

Et toi, qu'en penses-tu?

Solution à la page 156

CHAPITRE 8

Un pont à franchir

Il n'est pas étonnant que les villageois aient eu peine à se défendre contre les **ATTAQUES** des harpies. Les centaures adultes, mâles et femelles, ont été arrêtés par les gardes du roi Hélios – le traître, *dixit* Kiron. Il ne restait au village que les enfants et les aînés livrés en **PÂTURE** aux harpies.

Ils sont au plus une vingtaine à avoir échappé à l'assaut. Tous fuient maintenant, encadrés par les centaures dirigés par Kiron.

Nous avançons lentement pour ménager les forces des plus âgés. Entre nous, ça fait notre affaire, un léger trot pour les centaures, c'est un **SPRINT** pour nous, les Zintrépides. Toutefois, nous sommes tous vulnérables en ce moment puisque nous nous trouvons dans une plaine, à découvert. C'est l'unique route qui conduit à la grotte du Kertak.

La nervosité est palpable. Les plus jeunes pleurent fréquemment et réclament leurs parents. Foxy, la renarde, leur occupe l'esprit en leur apprenant la chanson des Zintrépides :

Nous marchons tous vers l'aventure...
Nous avons tous une fière allure...
Dans le ciel éclatent tous nos cris
pour rallier tous nos Zamis...

Le chien FrouFrou aboie pour nous accompagner. Est-ce bien nécessaire ? Je m'empare d'une petite BRANCHE et je la lance le plus fort possible. Réussi ! Le caniche court chercher le bout de bois.

Le chien me rapporte le morceau de **BOIS**. Ses agisse-
ments distraient les jeunes centaures.

TU VOIS, JE LES DIVERTIS ET, EN MÊME TEMPS, ÇA LUI FAIT FAIRE UN PEU D'EXERCICE...

CE BÂTON, POURRIEZ-VOUS LE JETER TRÈS LOIN ? TRÈS TRÈS LOIN ?

VOTRE CHIEN A LE GOÛT DE JOUER, BIPÈDE À JUPE ?

CE N'EST PAS MON CHIEN. ET CECI EST UN KILT, MONSIEUR LE CENTAURE MUSCLÉ. ET OUI, LE CANICHE A ENVIE DE COURIR TRÈS TRÈS LONGTEMPS...

DONNE-MOI ÇA, BILLY STUART ! JE VAIS TE LE FAIRE COURIR, MOI, TON...

CRIIIIIIIIIEEENN

Deux harpies nous survolent. Elles sont si haut qu'on pourrait les confondre avec des aigles. C'est leur laideur, même de loin, qui les trahit.

— Elles se maintiennent hors de portée de nos flèches, explique Kiron.

— Ces deux-là viennent en éclaireuses, signale le costaud Sinis. Elles nous ont repérés.

— Tu as raison. *Hâtons-nous.*

Au bout d'une vingtaine de minutes, nous approchons de la grotte. Elle est située au pied d'un monticule rocheux. On voit clairement **L'OUVERTURE GÉANTE** créée de façon naturelle par deux rochers appuyés l'un sur l'autre.

Pour y accéder, il faut traverser un étroit pont qui domine un ravin très profond, de la largeur de la rivière des condamnés.

Le pont de cordes, avec un tablier de rouleaux de nattes, n'a pas l'air très solide. J'ai peut-être une solution.

La mouffette lève la **queue** pour riposter quand je prends les choses en main. Je demande à Yéti le morceau de **BOIS** qu'il traîne depuis tout à l'heure. Il me le remet. Je le lance de l'autre bord de la falaise.

Trop tard! Le caniche, tel que je l'avais espéré, a couru sur le pont branlant pour cueillir le bâton. Sans aucun problème, il le rapporte en g a m b a d a n t. Qu'un rouleau ait cédé sur son passage n'est qu'un détail sans importance.

Un premier jeune centaure s'engage avec prudence. Je jette un coup d'œil en l'air pour découvrir que les harpies qui nous espionnaient ont disparu. **Bien fait!**

— **AU SECOURS !** hurle le jeune centaure.

Venues de je ne sais où, deux harpies se tiennent de chaque côté du pont. Elles le secouent pour déséquilibrer le centaure et le précipiter dans le ravin. À l'instant, Kiron et Sinis saisissent leur arme et s'apprêtent à tirer.

— Je vise celle de gauche, avertit Kiron.

— D'accord ! répond le centaure costaud.

— **Arrêtez !** ordonne une voix grave.

D'autres centaures armés jusqu'aux dents surgissent d'un bouquet d'arbres. Ils suivent un grand centaure au pelage zébré et au nez très pointu.

— Hélios ! crache Kiron **AVEC MÉPRIS**.

Celui-ci tend son arc vers son ennemi.

— Je te croyais plus intelligent, Kiron ! Un geste et je commande à mes fidèles amies d'expédier le petit dans le vide.

QU'IL Y VIENNE! NON, MAIS QU'IL Y VIENNE, LE ZÉBRÉ!

Le jeune centaure sur le pont est terrorisé. Kiron n'a pas le choix. Il renonce à l'affrontement.

— Tu es trop sensible, mon frère. **Et stupide !** Ça va te perdre un jour… comme aujourd'hui.

SON FRÈRE ? Hélios et Kiron sont frères ?

À ses centaures armés, le zébré désigne notre groupe du menton.

— Emparez-vous des rebelles à votre roi et de leurs étranges compagnons.

En prison

Avoir été si près de la grotte du Kertak, nous voici maintenant si loin… J'ai l'intuition qu'il faut nous rendre dans cette caverne si nous voulons poursuivre notre VOYAGE sur les traces de mon grand-père Virgile.

Les centaures et les Zintrépides sont entassés dans un cachot SOMBRE et humide. Un escalier en colimaçon mène à cette prison souterraine. Située sous le palais du roi, elle est faite d'épais murs de pierres.

De la *paille* a été jetée sur le sol.

— C'est pour dormir ou pour manger? demande Galopin avant de se coucher pour piquer un roupillon.

Avec sa science du camouflage, le caméléon devient pratiquement invisible. Grâce à la vigilance de Foxy, il évite de justesse d'être écrasé par les quelques centaines de kilos de muscles de Sinis, sur le point de s'étendre à son tour.

— Eh! Grand Galop, ouvre tes yeux avant de les fermer! se hérisse le caméléon.

Il flotte dans l'air une odeur nauséabonde.

— Ça pue la vieille picouille, ici! s'exclame Yéti, dans un simple besoin de provoquer.

Aucun des centaures ne relève l'insulte pour l'instant. Quelques-uns somnolent debout sur leurs quatre pattes, d'autres ont des *soucis plus sérieux* en tête. Comme nous d'ailleurs. Que va-t-il nous arriver? Nous réservera-t-on le même sort qu'aux rebelles? Quelle est la dynamique **EXPLOSIVE** entre le roi Hélios, qui règne sur la Vallée des Centaures, et Kiron?

J'aborde finalement le sujet avec ce dernier.

À ce stade-ci du récit, Billy Stuart m'a raconté en long et en large l'histoire de Kiron. Il y en aurait pour des pages et des pages. Et comme il s'agit des Zaventures de Billy Stuart et des Zintrépides, et non de celles de Kiron le centaure, j'ai choisi de relater le tout de manière assez brève, toujours par l'entremise du raton laveur, bien sûr.

Hélios, le centaure **zébré**, et Kiron sont deux frères, comme on l'a appris. À la mort de leur père, Kiron, l'aîné, a été désigné pour lui succéder, ce qui a rendu son frère cadet fou de jalousie. Le zébré s'est acoquiné avec les **HORRIBLES** harpies, pourtant ennemies des centaures et dirigées par madame X. Ils ont comploté pour chasser Kiron du palais.

De terribles attaques menées par les harpies ont été lancées aux quatre coins de la vallée. Le blâme a été mis sur les épaules de Kiron. Celui-ci s'est défendu des accusations, mais en vain. Le sort en a été jeté et il a été condamné à **MORT**, par le supplice du mascaret. Kiron allait servir d'exemple au peuple. Ce sont les harpies qui ont exécuté l'ordre en le laissant tomber du haut des airs au milieu de la rivière des condamnés, là où nous l'avons trouvé.

C'est une histoire assez classique, somme toute. Ce qui ne l'est pas, c'est que nous y soyons mêlés d'aussi près.

— La révolte gronde au royaume, me confie Kiron. Nous avons encore beaucoup de partisans qui n'espèrent qu'un SIGNAL pour se joindre à nous.

Je soupire de lassitude. Nous voilà en plein cœur d'une possible révolution dans un lieu où vivent des créatures fantastiques, certaines à quatre pattes, d'autres ailées. Tandis que nous, les Zintrépides, ne sommes qu'une bande d'êtres ordinaires à qui arrivent des aventures extraordinaires.

Il me semble avoir lu pareille déclaration ailleurs dans cette série. Saurais-tu dire où?

Ce que nous désirons, c'est remonter la piste de mon grand-père Virgile pour rentrer chez nous, dans la ville de **Cavendish**.

OUAF!

AAAARGH! Et ce que **JE** souhaite par-dessus tout, c'est de ne plus avoir à m'occuper de ce sale cabot et de le rendre à ses maîtres, nos voisins, les MacTerring.

Du mouvement à l'entrée de notre cellule. Un garde au pelage blanc, tacheté de **NOIR**, désigne Kiron de son épée.

— Toi ! Le roi Hélios veut te voir !

Son regard fouille les lieux et s'arrête sur moi. Il brandit son arme à nouveau.

Pour ne pas qu'elle passe inaperçue, la blague de Billy Stuart fait référence à la vache laitière noire et blanche, de race holstein.

On nous extrait du cachot pour nous mener à la cour du roi. *Pourquoi moi ?*

CHAPITRE 10

Le défi

Kiron et moi sommes conduits devant Hélios pour un **entretien privé**. Une dizaine de ses gardes du corps sont présents.

Par chance, Galopin, le caméléon, ne nous accompagne pas. J'ai peine à imaginer tous les commentaires qu'il se permettrait à la vue du roi Hélios. Le **trône** de celui-ci se compare à une luxueuse stalle d'écurie. Le roi y est installé à quatre pattes, de façon grotesque. Sa grosse croupe zébrée est déposée sur ce qui s'apparente à un curieux siège de toilette en marbre.

Hélios croque bruyamment dans une **pomme**. Puis, il se penche et plonge la main dans une amphore et en sort… un rat **GROUILLANT**, qu'il tient par la queue. Le rongeur gigote, il veut lui mordre les doigts, sans toutefois y parvenir.

— **BEURK!** Les centaures mangent des rats? dis-je à Kiron dans un chuchotement.

— Ce n'est pas pour lui, souffle-t-il.

Hélios observe avec **dégoût** le comportement de la vermine. Dépité, il le lance dans les airs, au-dessus de lui.

Je sursaute de terreur. Madame X émerge de l'arrière de la stalle et plonge pour saisir la bête avec sa gueule. Elle l'engloutit, queue comprise.

GLOUP!

RE-BEURK!

— Tu as toujourrrrs su parrrrler aux dames, Hélios, roucoule-t-elle.

Elle s'envole dans la pièce en frôlant nos têtes. Au passage, elle assène un coup de griffes au visage de Kiron qui lui cause une profonde entaille à la joue. Le centaure ne pousse aucune plainte.

La harpie, avec méchanceté et sadisme, sème le désordre parmi la garde royale. Elle s'amuse à marcher sur la tête de chacun des centaures d'Hélios, comme sur un TROTTOIR...

Enfin, elle se fixe sur un gros perchoir, à la droite du roi. On dirait un étrange zèbre avec son effroyable et immense perroquet.

Madame X me dévore des yeux. Un filet de salive dégouline de sa bouche écœurante.

Il y avait possibilité de blague, ici. La harpie aurait pu répéter : Coco veut un Billy ! Coco veut un Billy ! Ou mieux, la version Billy Stuart : Coco veut un FrouFrou ! Coco veut un FrouFrou !

Caressant le bout de son nez très pointu, le roi s'adresse à son frère d'un ton *monocorde* qui traduit bien ses états d'âme.

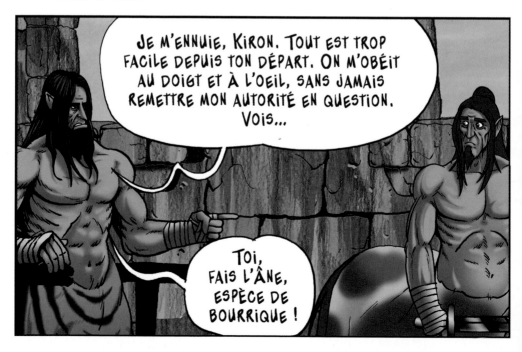

Alors que le garde se retourne pour lui servir une **RUADE**, Kiron s'interpose et bloque le coup de son avant-bras. Le roi *éclate de rire*, ce qui étonne son frère.

— Voilà, Kiron, c'est ce qu'il me manque ! Un peu d'action dans ma vie. Mes sujets ont trop peur de moi pour contester ou me contredire.

Les **YEUX GLOBULEUX** de madame X continuent de me dévisager. Je soutiens son regard sans ciller, tout en prêtant attention au monologue du roi Hélios.

— Toi, Kiron, mon cher frère, c'est dans ta nature de vouloir m'affronter.

Le centaure prisonnier demeure silencieux. Hélios attend une réplique de son vis~à~vis, réplique qui ne viendra pas.

— Dans les faits, j'ai fait exprès de te laisser une chance d'échapper au supplice du mascaret. Sinon, j'aurais exigé de mes archers qu'ils restent sur place et qu'ils terminent le travail… Disons que mon but était de te donner une leçon.

Hélios fait une pause, mesurant l'effet de ses révélations sur son frère afin de déceler un trouble ou un malaise chez lui. Rien n'y fait. Il poursuit :

— Voici ce que je te propose : TOI et MOI, nous allons prendre part à une course…

MADAME X s'agite sur son perchoir. Elle bat des ailes et s'élève quelque peu dans les airs.

— Vous commettez une err…

D'un geste violent du bras, Hélios lui interdit de parler.

— Tais-toi, ᏀᎪᏒᏀᎾᏌᏆᏞᏞᎬ de malheur ! Autrement, ce ne sera pas la parole que je te couperai…

La harpie grimace sous la menace et regagne sa position, en maugréant. Avec arrogance, le roi s'adresse à Kiron.

— Mon frère, **L'ENJEU** de la course sera ma couronne et ta vie…

Pour la première fois de la rencontre, Kiron sourit.

J'ose demander le droit de m'exprimer.

— Et moi, là-dedans ? Pourquoi m'avoir fait venir ici ? Pour être témoin ?

Hélios daigne m'octroyer un **regard méprisant**.

— Toi, l'animal bizarre à jupe, c'est parce que tu feras le poids mort pour mon frère…

Le sourire de Kiron s'efface d'un trait.

ÇA PARLE AUX MILLIONS D'ÉCREVISSES DE LA RIVIÈRE BULSTRODE !

JE COMPRENDS L'ALLUSION D'HÉLIOS. JE DOIS M'Y RÉSIGNER : LE DESTIN DE KIRON ET LE MIEN SONT DE NOUVEAU LIÉS.

HA! HA! HA! H...
DES MOTS POUR RIRE
PFII...

— Foxy, tu te souviens du livre
que tu m'as prêté et que tu
avais peur que j'égare?

— Oui Muskie, je m'en souviens.

— Eh bien, tu n'as plus
à t'inquiéter!

— Tu savais que les centaures
aiment les pommes ? demande
Foxy. On dit qu'une pomme par jour
éloigne le médecin pour toujours.

— C'est vrai, répond Galopin, surtout
si tu vises bien !

— J'ai fait savoir à Muskie
qu'elle était susceptible, lance Yéti.

— Et qu'est-ce qu'elle t'a dit?
s'inquiète Billy.

— Rien du tout... pendant
trois mois !

Des adieux?

Je déteste être éloigné de mes amis, les Zintrépides. Je me rappelle la première fois, il y a sans doute des **siècles** et des **siècles**, quand j'avais emprunté seul la voie de passage de la grotte de Roth.

Je m'étais retrouvé dans une galerie avec un mur de **PIERRES** qui me séparait de mes compagnons. J'étais au bord de la panique à ce moment-là. Bien que la troupe m'ait rejoint au bout de quelques minutes, le sentiment de solitude que j'ai éprouvé alors m'avait **GLACÉ** le **SANG**.

De nouveau, nos routes prennent des directions opposées, sans savoir si elles se recroiseront de sitôt. Mon au revoir est-il un *adieu*? Si Kiron échoue et perd la course, cette fois, il n'y aura pas d'issue. Ce sera le supplice du mascaret avec les archers pour nous surveiller. Et les harpies, dont madame X, seront sûrement au rendez-vous, prêtes à se délecter de ma chair fraîche et *tendre*.

Avant de quitter mes compagnons, c'est la gorge nouée que je leur sers une dernière recommandation :

— Quoi qu'il arrive, suivez le chemin tracé par mon grand-père Virgile. Allez à la **GROTTE** du Kertak. Je suis convaincu que la prochaine voie de passage s'y trouve.

De mon aumônière, je sors le carnet de mon grand-père et le donne à Foxy.

— PRENDS-EN SOIN.

La renarde accepte avec émotion.

— Et je m'occuperai de ton chien, Billy Stuart.

FrouFrou bondit autour de moi en jappant. Je ne juge pas nécessaire de la corriger, ce qui met Foxy dans tous ses états.

Des gardes viennent nous chercher dans le CACHOT. Kiron croise le regard du colosse Sinis. Pas un mot n'est échangé. Pourtant, j'ai la sensation qu'ils mijotent quelque chose…

Kiron et moi sommes sortis sans ménagement du **CACHOT** par les gardes d'Hélios. On nous guide à travers de longs couloirs souterrains en pente ascendante, qui mènent à l'air libre. La **lumière du jour** est aveuglante et je dois me protéger les yeux qui mettent quelques minutes à s'habituer à la clarté éblouissante.

Mes pieds foulent maintenant du **SABLE**. Une clameur retentit. Derrière moi, Kiron vient d'apparaître. Nous sommes dans un **IMMENSE COLISÉE**. Le bruit engendré par les milliers de centaures présents est assourdissant. Aux cris des spectateurs s'ajoute le **TONNERRE** produit par le martèlement d'innombrables sabots sur le sol. Je suis paralysé.

Un douloureux coup de lance dans les reins m'arrache à ma torpeur. Le garde est sur le point d'insister quand Kiron s'amène et assène une **RUADE** sur son arme, qui se casse en deux.

— **PAS DE ÇA ICI !** gronde-t-il, menaçant.

Le garde recule pour ne pas provoquer davantage les foudres de l'ancien roi. L'actuel monarque, Hélios, est

déjà à la ligne de départ, située à l'extrémité nord du colisée. Mais il n'est pas seul, d'autres centaures sur la piste piétinent d'impatience, à ses côtés.

— Ce sont des membres de sa garde personnelle, m'indique Kiron d'une voix forte pour couvrir le bruit de la foule.

Pour ma part, je cherche des yeux **MADAME X**. Où est la harpie ? Se cache-t-elle dans un coin pour me sauter dessus à la première occasion et me dévorer comme un rat ?

Solidement escortés, Kiron et moi rejoignons Hélios et ses protégés. Je n'ai jamais été aussi nerveux de toute ma vie. **Ah! Si!** Une fois ! Je devais embrasser Foxy à cause d'un stupide pari avec Galopin. Je préfère ne pas y penser, j'en ai la nausée. Elle et son sale FrouFrou.

J'ai voulu en savoir un peu plus à ce sujet. Billy Stuart m'a raconté les détails croustillants de ce pari qui mettait en cause Foxy. Il m'a fait jurer toutefois de ne rien relater dans l'histoire. Promis. Parole de scout.

De la ligne de départ, un rapide coup d'œil me confirme les dires de Kiron. Les autres centaures sont bel et bien de la GARDE ROYALE. La partie ne sera pas facile.

Hélios nous salue d'un rire narquois. D'un geste, il fait taire la foule. C'est un être **ignoble**, DÉTESTABLE, mais là, je dois avouer que le zébré m'a impressionné et apeuré à la fois. De constater que quelqu'un détient un tel pouvoir sur autant de monde est **EFFRAYANT**, surtout si ce pouvoir est entre les mains d'un dictateur comme lui.

— Cette épreuve en sera une de quatre tours. Le gagnant est celui qui, à l'arrivée, s'emparera du drapeau.

La pièce **d'étoffe rouge** est fixée à un poteau, planté dans le sol.

— Le vainqueur deviendra le roi de la Vallée des Centaures.

Le public est sous le choc. Il ne s'attendait pas à ce qu'une simple course ait un pareil enjeu.

— Quant au perdant – il désigne Kiron –, sa défaite le condamnera au supplice du mascaret.

Un **RUGISSEMENT** d'excitation parcourt le colisée, apaisé aussitôt par Hélios.

— Une dernière formalité avant de lancer la course, annonce-t-il.

Un centaure me saisit et me dépose avec **RUDESSE** sur le dos de Kiron.

La foule, d'abord silencieuse, **EXPLOSE** de fureur et d'injures à mon endroit et à celui de Kiron.

— Il n'existe pas pire humiliation pour un centaure que de devoir porter quelqu'un, me rappelle Kiron, avec **calme** et **dignité**, malgré tout.

J'observe le public. Je n'ai jamais ressenti autant de haine et de mépris à mon égard. **Ah! Si!** Une fois! À la suite d'un pari stupide… Mais c'est de l'histoire ancienne.

Surprise!

Le roi Hélios ne s'en cache même pas : il cherche à *humilier* publiquement son frère Kiron avec cette épreuve. D'abord, en l'obligeant à accepter que je monte sur son dos, ensuite, en le forçant à courir contre lui et des membres de sa garde personnelle et, enfin, en laissant planer au-dessus de sa tête, et de la mienne, le SUPPLICE du mascaret en cas de défaite.

Tout est en place pour que Kiron perde la face devant des MILLIERS de centaures. Par cet affront, Hélios impose encore plus sa domination sur son peuple.

Il n'y a pas de couloirs sur la piste, comme lors d'une course olympique. Des POTEAUX ont été plantés pour délimiter le parcours. Le stade est immense et la distance à franchir pour faire un tour représente, à vue d'œil, environ un demi-kilomètre.

Le mépris que les autres centaures affichent envers Kiron n'a d'égal que la **HAINE** que l'on me voue. Est-ce ma faute si j'en suis arrivé là? Non… Tout ça, c'est à cause du roi Hélios et – je sens que ça va me faire du bien – de ce sale FrouFrou!

Nous attendons le signal du départ de cette épreuve de quatre tours. C'est Hélios qui doit en décider, mais au lieu de donner le coup d'envoi, il se met à galoper. C'est parti!

La foule encourage le roi, à croire qu'il est l'unique concurrent. Il importe de le préciser, des gardes ont été placés **STRATÉGIQUEMENT** pour signifier au bon peuple qui doit être applaudi ou pas.

Dès que Kiron constate que la course est entamée, il démarre avec une telle *puissance* que je suis presque désarçonné. À la dernière seconde, alors que je manque de tomber, je m'agrippe à sa crinière.

— Désolé, Kiron, lui dis-je tandis que je stabilise ma position, à califourchon sur son dos.

Me voilà bien en selle… Ce n'est guère facile. Mes jambes trop courtes atteignent à peine ses flancs. S'il n'est pas aussi **costaud** que son ami Sinis, le frère du roi Hélios n'a rien d'un format réduit.

— **Cramponnez-vous**, Billy Stuart! m'avertit-il en criant.

J'ai l'impression de filer sur un cheval de course – cela dit entre nous, histoire de ménager les susceptibilités *centauresques*.

Nous dépassons aisément les retardataires pour aller rejoindre un PELOTON de quatre centaures juste derrière Hélios. Je vois au-delà du groupe l'arrière-train **zébré** du roi. Nous en sommes déjà au dernier virage du premier tour.

Si Kiron maintient la **cadence**, il n'aura aucun problème à l'emporter.

La partie serait trop facile… C'est mal connaître le roi.

Fidèles à un plan fixé par Hélios, les centaures qui nous devancent sont en train de ralentir un peu leur vitesse. Ce faisant, ils nous encadrent avec l'aide des centaures derrière nous, qui nous rattrapent aussitôt.

Nous sommes ⟨ENCERCLÉS⟩ et piégés. Nos adversaires filent en rang serré. Impossible, en apparence, du moins, de briser cet enclos **mouvant**. Pendant ce temps, Hélios amorce son deuxième tour. La stratégie fonctionne pour lui.

Ce qui n'arrange pas notre cause, c'est que de manière sournoise, les centaures assènent des coups de poing à Kiron. Je proteste :

— Eh ! JOUEZ FRANC JEU ! Donnez-nous une chance !

En guise de réponse, un des centaures décoche une droite en direction de ma tête. J'esquive le coup de **justesse** en me penchant. On tente aussi de me faire tomber en me bousculant. Si je chute au sol, je serai piétiné à mort par les centaures. Plus d'une fois, Kiron me sauve d'une telle issue en parant les attaques qui me sont destinées.

Les circonstances sont **épouvantables**. Même en sortant vivant de cette course, il est flagrant que nous allons perdre. Hélios domine par presque un demi-tour sur nous, et bonjour le supplice du mascaret.

Soudain, la foule se met à **HURLER** frénétiquement. Les spectateurs montrent du doigt un point loin derrière nous. Évitant un autre *COUP*, je découvre la raison de tout

ce **brouhaha**. Ça parle aux millions d'écrevisses de la rivière Bulstrode !

— On a du renfort !

Nos amis centaures, montés par les Zintrépides, galopent en *quatrième vitesse* pour nous prêter assistance.

YAHOUUUU,
LA CAVALERIE !
QU'ILS Y VIENNENT !
NON, MAIS QU'ILS Y
VIENNENT !

Lors de leur marche en forêt, Billy Stuart et les Zintrépides ont mis la main sur un document disons, surprenant. Il s'agit d'un tableau indiquant la prononciation de chacune des lettres de l'alphabet en harponais.

Est-ce que ces affreuses créatures savent écrire? Billy Stuart n'en a aucune idée. Une chose est sûre, il préfère ne pas imaginer ce qu'elles peuvent se raconter.

Si on se fie au tableau, Billy Stuart se dit Shrugnichachashri Ariskrifignashiskri, en langage harpie. Saurais-tu nommer les autres membres des Zintrépides?

A-	GNA	N-	FRE
B-	SHRU	O-	MIO
C-	MI	P-	NO
D-	CHE	Q-	GNE
E-	GNU	R-	SHI
F-	TCHU	S-	ARI
G-	DJI	T-	SKRI
H-	SCRI	U-	FI
I-	GNI	V-	SKU
J-	ROMI	W-	FAI
K-	ME	X-	SCHLOU
L-	CHA	Y-	SHRI
M-	SCRIN	Z-	KRA

CHAPiTRE 13

Rodéo!

Il reste deux tours à faire dans la course des centaures. Voici quelle est la situation actuellement : le roi Hélios est en tête et jouit d'une **CONFORTABLE** avance de presque un demi-tour sur le peloton dont nous faisons partie, Kiron et moi.

Mais avec l'arrivée-surprise des fidèles de Kiron, les choses viennent de changer.

Nous verrons plus loin comment les alliés de l'ex-roi ont pu se libérer de leur prison. Pour l'instant, il y a trop d'action pour ralentir le récit avec de telles précisions.

Parmi la foule, le vent tourne aussi. Hélios n'est plus le sujet de tous les **encouragements** des spectateurs. Les gardes du roi ne peuvent plus contrôler les débordements enthousiastes manifestés à l'endroit de Kiron, car ils ne

sont pas assez nombreux. Certains des gardes qui ont choisi de faire du **ZÈLE** sont submergés et désarmés sur-le-champ.

Kiron utilise ce revirement pour commencer à faire du ménage autour de nous. Il saute dans les airs et, avant de retomber au sol, il assène une **violente** ruade à deux centaures postés derrière lui. Ceux-ci s'écroulent dans un nuage de poussière.

On dirait que ses forces ont décuplé. Il étire les bras et attrape la tête des deux centaures qui filent à notre hauteur et les frappe ensemble. Ça se compare au bruit de deux noix de coco qui se heurtent.

CLOC!

Assommés, ils s'écrasent dans la terre. N'en reste plus que quatre à l'avant, avec Hélios plus loin.

Erreur : il n'y en a plus que deux, parce que les deux autres ont *déguerpi* lorsqu'ils ont constaté la proximité du centaure colosse… et de Yéti, la belette, ne l'oublions pas. Ils se sont enfuis par une porte dérobée sous les gradins.

L'écart entre Hélios et nous rétrécit. Après trois tours complets, le roi ne mène plus que par une centaine de mètres. Il a **considérablement ralenti**, le zébré, tandis que Kiron, lui, double la cadence.

Rejoint par son ami Sinis, qui a coupé dans le parcours (il a le droit, il ne fait pas partie de la course), Kiron lui cède sa place. Les deux derniers centaures **FIDÈLES** à Hélios découvrent en même temps la présence du colosse et de sa belette à leur côté.

— **Je vais vous manger !** Je vais vous manger ! s'écrie Yéti, les crocs sortis.

La belette a l'estomac dans l'étalon... Navré, je ne pouvais la passer sous silence, celle-là.

De ses puissants bras, Sinis saisit la queue des deux centaures pour freiner douloureusement leur course. Les gardes cherchent à se défaire de son emprise, mais n'y réussissent pas. Ils sont maîtrisés par Sinis et les autres centaures.

Libéré de la contrainte des gardes du roi, Kiron file comme une **flèche**. Il n'y a plus aucun obstacle entre nous et Hélios qui puise dans ses ultimes ressources d'énergie pour continuer.

J'entends un cri strident au-dessus de ma tête.

OH NON!

C'est madame X!

Et la harpie fonce sur nous!

Nous venons de franchir la ligne de départ pour notre dernier tour. Devant nous, Hélios souffle comme un taureau. Il essaie de creuser la **distance** qui le sépare de son poursuivant, mais en vain.

La présence de MADAME X ne modère pas les ardeurs de Kiron, qui se défend avec ses bras et ses poings. La harpie le harcèle : elle effectue des piqués réguliers et tente, à chacune de ses **attaques**, de lacérer son visage avec ses serres.

À moi d'intervenir. Voilà que je me prends pour Yéti.

Pour être bien compris malgré le TUMULTE de l'action et de la foule, je hurle à Kiron :

— On se revoit à l'arrivée !

Pas le temps de lui expliquer. Au passage suivant de madame X, je *saute* et *atterrit* … sur son dos ! Elle en rugit de colère, tout en battant des ailes pour se maintenir au-dessus du sol.

Immédiatement, elle se renverse et vole la tête en bas. Elle veut me faire *dégringoler*. Comme je suis accroché à son cou, elle a du mal à respirer et se redresse au bout de quelques secondes. Elle supporte mon poids sans trop de difficulté, mais visiblement, à l'image des centaures, elle ne tolère pas ma présence.

La harpie *zig zague*, puis se met à courber le dos et à effectuer de violents bonds, pour que je tombe. Un véritable rodéo. Je dois ressembler à un Billy Stuart cowboy au Stampede de Calgary ou au Festival western de Saint-Tite…

Nous sommes maintenant à une dizaine de mètres du sol et une **CHUTE** de cette hauteur me serait fatale. Les gros bras de madame X essaient de me saisir, mais ils sont trop courts. En revanche, son horrible tête pivote de 180 degrés, tel un hibou de cauchemar, et me fait dorénavant face. Ses yeux sont injectés de sang. Elle claque les mâchoires pour me mordre, mais elle frappe le vide.

Au-dessous de nous, Kiron rejoint Hélios. La lutte entre les deux frères est **FÉROCE**. Hélios bouscule son adversaire en lui donnant des coups avec son flanc zébré et son épaule. Il veut le faire **TRÉBUCHER**. Le roi se penche et ramasse du sable qu'il jette dans les yeux de Kiron. Celui-ci, aveuglé, court tout de même, sans savoir où il va !

La harpie se retourne, attirée par l'action au-dessous de nous. Je saisis ses oreilles flasques et je tire vers le haut. Madame X pousse un **CRI DE DOULEUR**. Kiron m'avait raconté dans le cachot que l'un des points faibles de ces créatures était leurs oreilles, très sensibles.

— Tenez-vous tranquille, sinon je vous arrache les oreilles avec mes dents.

Inspirée par le bon sens, elle m'obéit. Jamais je n'aurais osé mettre ma menace à exécution. **BEURK !** Ça a sûrement le goût du **brocoli** pourri depuis plusieurs jours.

J'entraîne madame X au-dessus de la bataille entre les frères. Nous ne sommes plus qu'à quelques mètres de l'arrivée. Ma voix va guider Kiron.

— Tout droit ! À **DROITE** ! Non, un peu à **GAUCHE**. L'autre gauche ! C'est ça !

Le drapeau est planté sur un poteau et flotte au vent. Qui, de Kiron ou d'Hélios, l'attrapera le premier ? Lequel sera couronné roi ? À mon tour d'entrer en jeu.

Avec mes doigts **agrippés** aux oreilles de la harpie, je peux la diriger comme j'en ai envie. Je l'envoie donc directement sur Hélios. Juste avant qu'il y ait collision, je bondis dans les airs et j'atterris sur le dos de Kiron.

Aussitôt qu'Hélios et madame X se frappent, ils sont déséquilibrés et mordent la poussière. La voie est libre ! Je crie à Kiron :

— **Étirez le bras !**

Il saisit le drapeau au moment de franchir l'arrivée.

Une course ÉPIQUE, aurait affirmé Galopin. Et même HIPPIQUE !

À : Billy Stuart
De : Foxy

Mon cher Billy Stuart, depuis le début de ce beau périple, tu rejettes sans pitié ce cher FrouFrou. Pourtant en lui offrant un peu d'amour et de tendresse, il est plus que certain que ton chien te le rendrait. Et s'il savait parler je suis sûre qu'il te dirait lui-même combien il t'aime.

Le mot que Foxy a envoyé à Billy Stuart cache un deuxième message.

Celui-là est codé et s'adresse à FrouFrou. Sauras-tu le décoder?

MESSAGE CODÉ

Solution à la page 157

CHAPITRE 14

Le retour du roi

À la seconde où Kiron arrache la victoire au roi Hélios, la situation bascule dans la Vallée des Centaures. Le peuple dans les gradins manifeste sa **joie** de façon très **BRUYANTE**. De plus, les gardes d'Hélios se joignent aux célébrations. Le vent a tourné en faveur de Kiron et au détriment du roi déchu.

Le **vainqueur**, après avoir réussi à enlever le sable de ses yeux, effectue un tour d'honneur dans le colisée. Il porte son drapeau à bout de bras. Le perdant exprime sa frustration et ordonne à ses gardes de *capturer* Kiron pour… pour… pour… Il s'emporte, car il ne parvient pas à trouver de raison **valable** pour le mettre en état d'arrestation.

— Parce qu'il a gagné la course en trichant! finit-il par lâcher en gémissant.

Toutefois, ses gardes ne l'écoutent plus. Ils préfèrent s'éloigner de lui pour aller **GROSSIR** le camp des partisans de Kiron. L'ex-roi se sent maintenant très seul.

Les événements se précipitent sur la piste du colisée. Hélios est envoyé au **CACHOT**. Madame X se sauve avant l'arrivée des gardes. Elle pousse des **CRIS STRIDENTS** et disparaît dans le soleil couchant.

> Elle aurait pu chanter « I'm a poor lonesome harpy and a long way from home », en référence à la dernière illustration des albums de Lucky Luke.

De nouveau coiffé du titre de roi et acclamé de tous, Kiron annonce qu'il n'y aura plus de supplice du mascaret tant qu'il régnera sur la vallée. La foule hurle sa joie.

HOURRA ! HOURRA ! VIVE KIRON !

Je rejoins mes compagnons au centre de l'arène. Avec émotion, Foxy me remet le calepin de notes de mon grand-père. Je le replace dans mon aumônière.

Le chien FrouFrou jappe, heureux de me revoir. Sa

queue bat tellement vite qu'elle en est **FLOUE**. Pour le calmer, je le flatte une fois. Là, il devient carrément **foufou**. Le caniche bondit sur ses pattes arrière pour me lécher le visage et faire **pipi** partout.

Je demeure sans voix, n'ayant aucune idée de ce à quoi les Zintrépides font allusion.

Foxy, avec un *étrange sourire*, me saisit les bras pour me secouer.

— Billy Stuart, te rends-tu compte de ce que tu viens de faire?

Bon, d'accord. J'ai aidé un peu Kiron à **TRIOMPHER** lors de l'épreuve et à retourner sur son trône. Ma modestie m'empêche de **parader**. Je suis content de constater que mes compagnons le remarquent et le soulignent.

Les regards des **Zintrépides** convergent en direction du caniche assis bêtement à mes pieds. Je cherche toujours une réponse.

Je leur tourne le **DOS**, déterminé à tout faire dorénavant pour ne plus leur donner **raison**.

La marque dans la grotte

Il n'y a pas à dire, quand nous, les Zintrépides, débarquons dans un environnement inconnu, on le ***chamboule*** pas mal! Non pas que l'on coure après les problèmes! Je rêve d'une VOIE DE PASSAGE qui me ramènera tranquillement chez moi, où m'attendra mon grand-père Virgile avec un grand sourire:

— Et puis? Ces vacances d'été?

Après un séjour court, mais mouvementé au village de SNÔ-KHONE, où le peuple du froid s'est retrouvé avec une nouvelle reine à sa tête, nous récidivons dans la Vallée des Centaures.

Kiron trône désormais au palais tandis que l'ex-roi, l'ignoble Hélios, croupit dans un CACHOT. Pour nous remercier de notre aide, Kiron nous a offert mer et monde.

Par contre, comme nous n'aspirons qu'à rentrer à la maison, nous lui demandons d'être escortés jusqu'à la grotte où nous devrions pouvoir poursuivre notre **route**.

La harpie, madame X, a disparu au terme de la course des centaures et rien n'indique qu'elle ne reviendra pas pour se venger, elle et d'autres créatures de son espèce.

Après une nuit de repos, nous mettons le cap sur la grotte du Kertak. Il fait très beau. Le temps est *magnifique* dans la Vallée des Centaures. Pas un nuage dans le ciel bleu.

Aucun accrochage digne de mention ne perturbe notre marche. Yéti, la belette, a **poliment** refusé la proposition du costaud Sinis de le prendre sur son dos.

Au fait, comment les Zintrépides et les centaures ont-ils pu se libérer de leur prison pour appuyer Kiron et Billy Stuart pendant la course? Pour le savoir, Billy Stuart m'a renvoyé à Yéti. La belette m'a expliqué, en détail, qu'elle avait attiré les gardes du palais avant de les assommer un à un et de rendre la liberté à tous. Yéti m'a juré que c'était la vérité sur la tête des enfants qu'il aura un jour.

Une fois aux abords du ravin, nous convenons que le *pont de cordes* qui permet de franchir l'obstacle n'est pas très solide. J'irai ainsi explorer la **GROTTE** en éclaireur en compagnie de Foxy. Sa vue est meilleure que la mienne dans l'obscurité.

QUI S'OCCUPERA, EN MON ABSENCE, DE MON BEAU FROUFROU D'AMOUR CHÉRI QUE JE T'AIME ?

MAIS MAINTENANT, BILLY STUART, IL S'AGIT AUSSI DE **TON** BEAU FROUFROU D'AMOUR CHÉRI QUE TU AIMES, NON ?

J'EN AI MAL AU COEUR RIEN QU'À SONGER À CETTE POSSIBILITÉ.

NON, FOXY ! CE CHIEN N'EST PAS **MON** BEAU FROUFROU D'AMOUR CHÉRI... QUE... JE T'...

Je ne riposte pas. Les centaures qui nous accompagnent, dont Kiron, s'amusent de nos discussions.

Sinis me remet une torche enflammée. Avec Foxy derrière moi, je m'engage sur le pont de cordes, à la vitesse de progression du caméléon. Mon bras libre est étendu au maximum. Je m'accroche à l'une des cordes latérales, à la hauteur de ma tête. Il suffirait de peu pour que je perde l'équilibre et que je CHUTE au fond du ravin. Prudence, donc.

Le GOUFFRE n'est pas très large. Au bout d'une minute, car ça se déplace lentement un caméléon, nous atteignons l'autre rive. Foxy et moi, nous pénétrons dans la GROTTE dont l'entrée est assez élevée pour nous permettre d'y marcher sans devoir nous pencher.

— Tu vois quelque chose, Billy Stuart? me demande Foxy.

Sa voix se répercute en écho sur les parois rocheuses. Malgré la faible lueur émise par la TORCHE et la surface très rugueuse des murs, rien n'échappe au regard de lynx… de la renarde.

— Ici, Billy Stuart! me prévient-elle, la main appuyée sur la pierre pour conserver son point de repère.

J'approche la torche de la marque située à la hauteur de nos yeux; mon grand-père et moi sommes pratiquement de la même taille. Avec grand bonheur et soulagement, je distingue un V qui pourrait ressembler à un X à cause de ses deux lignes qui se croisent et se prolongent à sa base. La

signature ne trompe personne, surtout pas le petit-fils de celui qui l'a gravée dans la **PIERRE**.

— Mon grand-père est passé par là, dis-je à Foxy.

Je lève la torche pour éclairer le fond de la caverne, mais je n'en vois pas l'**issue**.

— Allons chercher nos amis, Foxy.

Nous nous dépêchons de retourner au pont de cordes. Je fixe le bout inférieur de la TORCHE dans la terre afin de pouvoir utiliser mes deux mains pour la traversée. Cette fois, Foxy me devance. Elle y va toujours à pas de caméléon.

À mi-chemin, un cri strident résonne.

SHRiiiiii K!

DES cris stridents.

SHRiiiiii K! SHRiiiiii K!

Les harpies nous assaillent !

CHAPITRE 16

Les harpies contre-attaquent

Les harpies sont de retour ! Oiseaux de malheur !

Elles volent en formation serrée. Ces créatures sont deux fois plus nombreuses que nos troupes. Leur but nous semble très clair : FONCER SUR NOUS.

Les centaures en ont déjà plein les bras. Je ne vois pas les Zintrépides. J'espère qu'ils ont pu se réfugier quelque part.

— VITE, FOXY !

Elle hâte le pas sur le pont de cordes. Une harpie atterrit lourdement devant elle et ébranle la structure. Emporté par mon élan, je percute le dos de la renarde et manque de la faire tomber.

— On retourne à la grotte ! me dit-elle, terrifiée.

La harpie s'apprête à la saisir par la queue lorsqu'une main puissante intercepte son geste et l'envoie valser dans le vide. C'est Sinis, le **COLOSSE**, qui est intervenu à la dernière seconde. Le répit est de courte durée, car la harpie revient immédiatement à la charge.

Encore une fois, un monstre ailé nous bloque l'accès. C'est madame X! Nous devons rebrousser chemin.

Autour de nous s'élèvent des **CRIS DE DOULEUR**, les centaures utilisent leurs armes pour se défendre, à coups de couteaux et de flèches.

— Tenez bon, Billy Stuart! hurle Kiron.

— Qu'elles y viennent! Non, mais qu'elles y viennent, les harpies! s'excite Yéti, debout sur une **GROSSE PIERRE**.

La belette saute dans les airs pour essayer d'attraper l'une de nos ennemies.

Une odeur abominable se répand. Ce n'est pas la mauvaise haleine de madame X. Probablement Muskie qui a touché la cible avec son parfum nauséabond.

Que va nous faire madame X? Elle affiche un sourire sadique. Plutôt que de nous bondir dessus, elle fait tanguer dangereusement le pont. Puis, comme si cela ne suffisait pas, elle se met à ronger les <u>câbles</u> fixés aux amarres du côté de la grotte. Des harpies s'amènent pour l'aider.

Les cordes supérieures du pont sont rapidement coupées par ces <u>DENTS TRANCHANTES</u>. Madame X et ses alliées s'attaquent ensuite aux cordes inférieures, celles sur lesquelles repose le tablier de rouleaux de nattes.

CLAC !

Une nouvelle corde a cédé. Je sens le pont se dérober sous nos pieds.

— ACCROCHE-TOI, FOXY !

La dernière *corde* lâche et le pont chute. J'ai juste le temps d'attraper une corde et de m'en entourer le poignet. La partie du pont à laquelle je suis attaché se dirige vers la paroi rocheuse à une vitesse folle. Le **CHOC** est d'une violence inouïe.

La corde qui emprisonne mon poignet pénètre ma chair. Mes pieds pendent dans le vide.

FOXY ! OÙ EST FOXY ?

Je parviens, au prix de mille contorsions, à regarder sous moi. Foxy est suspendue d'une seule main à un rouleau de nattes. Elle cherche à en saisir un deuxième avec sa main libre.

Je travaille fort à libérer la mienne de son lien douloureux. À mon grand désespoir, je n'y arrive pas. Au-dessus de moi, je vois Galopin qui descend habilement pour m'aider.

— Occupe-toi de Foxy ! lui dis-je, la **PANIQUE** dans la voix.

Le caméléon se fond aussitôt dans les teintes de ma chemise des Zintrépides. Il y a un danger tout près…

Je pivote sur moi-même et me retrouve **NEZ** à **NEZ** avec l'horrible madame X. Son haleine est fétide, à m'en lever le cœur. Elle émet un cri long et aigu tout près de mes oreilles.

Puis, elle se laisse tomber à la renverse, comme pour faire un sordide plongeon arrière. Elle s'arrête brusquement à la hauteur de Foxy. Je m'écrie :

— Nooooon !

De ses bras, la harpie enserre la taille de la renarde pour la faire lâcher prise, mais Foxy tient bon.

KAÏ ! KAÏ ! KAÏ !

Voilà autre chose : un chien volant ! FrouFrou a été capturé à son tour par une harpie. La créature rejoint madame X, près de Foxy. Sur un signe de madame X, la harpie lance le caniche à la renarde. **C'EST AFFREUX.** Si mon amie le saisit, elle devient une proie encore plus facile pour nos ennemies. Si elle ne l'attrape pas, c'est le grand saut pour son FrouFrou *d'amour chéri*…

Un soupir plus tard, Foxy choisit d'oublier sa propre sécurité pour plaquer FrouFrou contre elle. Le chien la remercie d'un aboiement.

Ouaf !

Madame X déloge la renarde, maintenant sans appui sur le *pont de cordes*. Ses serres lui empoignent la taille et elle file dans les airs, suivie de ses complices rescapées du combat. Les **monstres** désertent les lieux.

De ma vie, je ne me suis jamais senti aussi inutile. Mon amie et le chien sont enlevés sans que je puisse réagir.

Les centaures, pourtant d'efficaces archers, rangent leurs armes. Ils craignent, à une telle distance, de toucher Foxy.

— Je vais te libérer, Billy Stuart, me signale Yéti, qui ronge la corde qui me maintenait **prisonnier** depuis trop longtemps.

Au bout de quelques minutes, les dents acérées de la belette exécutent le travail. Je peux enfin remonter le long de la paroi en m'accrochant aux **rouleaux de nattes** du tablier.

Sur le plateau, la scène est désolante. L'affrontement a été **terrible** pour les deux clans qui ont subi d'importantes pertes.

Galopin et Muskie me rejoignent, l'air navré.

— Que fait-on, Billy Stuart ? me demande la mouffette, le regard soudé à la nuée de harpies qui s'éloignent.

Je me frotte le poignet pour chasser la **DOULEUR** causée par la corde.

— Nous devons les suivre et retrouver nos compagnons.

— Nous serons à vos côtés, assure le roi Kiron.

Je jette un dernier **COUP D'ŒIL** à l'entrée de la grotte du Kertak. De nouveau, après avoir été si près de notre objectif, nous avons échoué.

À ce moment, les écrits de mon grand-père Virgile, dans son carnet, me reviennent à l'esprit :

PLUS D'UNE FOIS,
TU DEVRAS TE
REPRENDRE,
BiLLY STUART,
POUR CONTINUER
TA ROUTE.

PERSÉVÈRE
ET FAIS LES
BONS CHOIX !

Comment pouvait-il savoir tout ça ?

À SUIVRE

CHERCHE ET TROUVE

Peux-tu repérer ces éléments dans le livre ?

RECHERCHÉ

RECHERCHÉ

RECHERCHÉ

RECHERCHÉ

RECHERCHÉ

RECHERCHÉ

RECHERCHÉ

RECHERCHÉ

RECHERCHÉ

Solution à la page 157

SOLUTIONS

DES MAINS ET DES POUCES (P. 40)

LE CHEVAL E MESURE 16 MAINS (ET NON 15 MAINS 4 POUCES).

VISION NOCTURNE (P. 70)

BILLY STUART A RAISON. UNE COMÈTE ET UNE ÉTOILE FILANTE, ÇA NE CLIGNOTE PAS. UN SATELLITE? MUSKIE SEMBLE AVOIR OUBLIÉ QUE LES SATELLITES N'AVAIENT PAS ENCORE ÉTÉ INVENTÉS À L'ÉPOQUE DES CENTAURES. EN FAIT, BIEN QU'ELLE SEMBLE BIEN HAUT DANS LE CIEL, CETTE LUMIÈRE CLIGNOTANTE N'EST QU'UNE PETITE LUCIOLE QUI SE TIENT À QUELQUES MÈTRES AU-DESSUS D'EUX!

MESSAGE CODÉ (P. 128)

LE MESSAGE QU'ENVOIE FOXY AU CHIEN DE BILLY STUART EST : « MON BEAU FROUFROU D'AMOUR QUE JE T'AIME. » POUR LE DÉCOUVRIR, IL TE SUFFIT DE LIRE LE PREMIER MOT DE CHAQUE LIGNE.

CHERCHE ET TROUVE (P. 154–155)

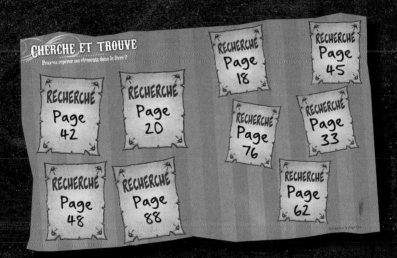

TABLE DES MATIÈRES